La CAJA DE BESOS

Bonnie Verburg
ilustrado por Henry Cole

SCHOLASTIC INC.

Bonnie Verburg quiere agradecer a
Dianne Hess, su maravillosa editora,
y a Kathy Westray, directora de arte y diseñadora sin par.

Originally published in English as *The Kiss Box*
Translated by J.P. Lombana
Text copyright © 2011 by Bonnie Verburg
Illustrations copyright © 2011 by Henry Cole
Translation copyright © 2012 by Scholastic Inc.
ISBN 978-0-545-45728-6
12 11 10 9 8 7 6 5 4 3 2 1   12 13 14 15 16 17/0
Printed in the U.S.A.   40
First Spanish printing, September 2012
Henry Cole's artwork was rendered in watercolor and
colored pencil on Arches Hot Press watercolor paper.
Book design by Kathleen Westray

A Robert Martin, con amor

— B.V.

Con un profundo agradecimiento a mi amiga Nancy

— H.C.

MAMÁ OSA siempre estaba en casa,
y eso le encantaba a Osito.
Pero tarde o temprano, todas las
mamás osas tienen que ir a algún lugar,
aunque sea por poco tiempo.

—Voy a volver pronto —prometió
Mamá Osa—. Vamos a divertirnos hoy,
antes de despedirnos.

Pero Osito no quería despedirse.

—Te voy a extrañar —dijo.

—Yo también te voy a extrañar —dijo su mamá.

—¿Vas a volver? —preguntó Osito.

—Yo siempre vuelvo —dijo Mamá Osa.

—Y aunque
no esté contigo
—continuó Mamá Osa—, cada minuto del día te estaré
enviando mi amor y muchos besos. Igual que ahora.

—¿Acaso no sientes mis besos volando por el aire?

—Sí —dijo Osito—. ¿Pero estás segura de que no me olvidarás cuando te vayas?

—Voy a pensar en ti todo el tiempo —dijo su mamá—. No importa a donde vaya o lo que esté haciendo.

—¿Ni siquiera si estás muy ocupada? —preguntó Osito.

—No importa lo ocupada que esté, tú siempre serás lo más importante para mí —dijo Mamá Osa, y besó las orejas de Osito—. Tú sabes eso, ¿verdad?

—Sí, mamá —dijo Osito—, pero quiero que te quedes.

—No puedo —dijo Mamá Osa—. Pero te puedo dejar cien besos para que te acompañen. Y cada vez que me extrañes, tendrás todos esos besos. ¿Recuerdas cómo contar hasta cien?

—Sí, mamá —dijo Osito—. Pero ¿dónde voy a guardar tus besos para que no se pierdan?

—Te daré un frasco especial —dijo Mamá Osa—. Lo voy a llenar con cien besos.

—Cada vez que necesites un beso —continuó—, solo tienes que abrir el frasco y uno de mis besos volará hasta ti.

—¿Qué pasa si el frasco se rompe, mamá?

—Entonces llenaré un sobre con cien besos. Y cada vez que necesites un beso, solamente tienes que abrir el sobre y uno de mis besos volará hasta ti.

—¿Qué pasa si se me pierde el sobre, mamá? —dijo Osito.

—Entonces te daré cien besos en la punta de tus dedos. Y cada vez que necesites un beso, podrás tocarte el pecho con tus dedos y uno de mis besos volará hasta ti.

Mamá Osa sonrió.
—No vas a perder la punta de tus dedos, ¿verdad, Osito?

—No, mamá —dijo Osito—, pero ¿cómo hago para enviarte besos de vuelta?

De pronto, Osito tuvo una idea.

—Ya sé cómo puedo enviarte besos, mamá. Así vamos a estar siempre unidos.

—¿Cómo? —preguntó Mamá Osa.

—¡Es un secreto! —dijo Osito—. ¡No mires!

Osito encontró una pequeña caja. Hizo un dibujo suyo y lo pegó dentro de la caja. Después, llenó la caja con cien besos, cada uno tan especial como el amor que sentía por Mamá Osa.

Cuando terminó de hacer la caja,

llamó a su mamá:

—¡SORPRESA!

¡Hice una caja de besos para ti!

Ahora tú tienes que hacer

una para mí.

—Eres un osito muy listo
—dijo su mamá—. ¿Me
ayudas a hacerla?

—Sí —dijo Osito.

Ahora, Mamá Osa tiene su caja
de besos y Osito tiene la suya.

Y cuando están separados,

mantienen la caja de besos muy cerquita.

¿Sabes por qué?

Porque así pueden enviarse besos,

sin importar qué tan lejos estén el uno del otro.

No importa si están juntos o separados,

su amor crece y crece...

de la misma manera

que crece el nuestro

cada vez que yo te

doy o tú me das

un beso.

NOTA DE LA AUTORA

CUANDO MI HIJO era muy pequeño, sus abuelos, Audrey y Don Wood, le dieron un regalo formidable. Era un frasco verde de cerámica y metal, y Audrey nos dijo que era un "frasco de besos". Cada vez que mi hijo y yo estuviéramos separados, podríamos usarlo para enviarnos besos el uno al otro, y por más besos que sacáramos, el frasco siempre se mantendría lleno.

Con el tiempo, el frasco de besos sufrió magulladuras y envejeció, pero Audrey tenía razón... nunca se quedó sin besos. Después, cuando mi hijo cumplió once años, estuvimos separados medio verano porque él se fue de viaje con su papá a otro país. El frasco era demasiado grande para el viaje, así que yo encontré una pequeña caja de madera, tan grande como mi dedo pulgar, y adentro le puse una foto del tamaño de un sello y, en unos papelitos diminutos le escribí la historia que aparece en este libro. La víspera de que se fuera, le di la caja y le leí la historia.

A lo largo de su infancia, el frasco nos hizo sentir muy bien a mi hijo y a mí. Y cuando él se fue de viaje, la caja hizo que yo me sintiera mejor porque sabía que él la tenía. Audrey y Don Wood, que son personas muy sabias, sabían que las cajas y los frascos de besos a veces pueden ser tan importantes para las mamás osas como lo son para los ositos que extrañamos.

Una caja de besos puede hacerse con cualquier cosa, desde un simple cartón hasta una reliquia familiar. Lo único esencial es tener buena imaginación... y mucho amor, por supuesto.